BWRLWM

FFORMIWLA UN

Frances Ridley

Addasiad Gordon Jones

PRIFYSGOL
ABERYSTWYTH

RISING★STARS

Cyhoeddwyd dan nawdd
Cynllun Adnoddau Addysgu a Dysgu CBAC

Y fersiwn Saesneg:
Download: Formula 1

Rising Stars UK Ltd, 22 Grafton Street, Llundain W1S 4EX
Cyhoeddwyd 2006
Testun © Rising Stars UK Ltd.
Ymgynghorwyr addysgol: Cliff Moon a Lorraine Petersen

Y fersiwn Cymraeg hwn:
© Prifysgol Aberystwyth, 2010 ⓗ

Cyhoeddwyd gan CAA, Prifysgol Aberystwyth,
Plas Gogerddan, Aberystwyth, SY23 3EB
(www.caa.aber.ac.uk)

Noddwyd gan Lywodraeth Cynulliad Cymru

Cyhoeddwyd dan nawdd Cynllun Adnoddau Addysgu a Dysgu
CBAC

Addaswyd gan: Gordon Jones
Golygwyd gan: Lynwen Rees Jones
Dyluniwyd gan: Richard Huw Pritchard
Argraffwyd gan: Argraffwyr Cambria

Diolch i Eirian Jones ac Angharad Walpole am eu cymorth
wrth brawfddarllen.

Diolch hefyd i Ruth Davies, Siân Powys a Meinir Rees am eu
harweiniad gwerthfawr.

Darluniau: Bill Greenhead
Ffotograffau: Motoring Picture Library/NMM: tt 10, 11, 22,
28, 31, 38; Alamy: tt 4, 5, 11, 12, 13, 16, 18, 19, 23, 25, 27,
29, 30, 32-33, 40, 41, 42, 43, 46; Getty Images: tt 7, 8, 10,
19, 24, 25, 26, 30, 31, 32, 33; PA Photos: t 33.

Ymchwil ffotograffau gan Zooid Pictures Ltd.

ISBN: 978-1-84521-356-5

Cynnwys

Pencampwriaeth y Byd Fformiwla Un

Mae Pencampwriaeth y Byd F1 wedi cael ei chynnal bob blwyddyn er 1950. Yr **FIA** sy'n ei chynnal.

Timau F1

Mae dros 100 o dimau F1 wedi bod er 1950.
Dyma'r timau wnaeth gystadlu ym Mhencampwriaeth 2008.

McLaren-Mercedes

Ferrari

BMW Sauber

Renault

Williams-Toyota

Toyota

Red Bull-Renault

Super Aguri-Honda

STR-Ferrari

Honda

Force India-Ferrari

Gyrwyr F1

Mae angen corff cryf a meddwl cryf ar yrrwr F1.

Mae'n gwisgo helmed a dillad **gwrthdan** ar y trac.

Helmed

Menig gwrthdan

Gwadnau tenau

Esgidiau

Oferôls gwrthdan

Traciau a cheir F1

Mae rasys Grand Prix yn cael eu cynnal ar drac rasio.

Ffaith!

Yn 2005, fe wnaeth yr Undeb Ewropeaidd stopio timau F1 rhag hysbysebu tybaco a chael eu **noddi** gan gwmnïau tybaco.

Ym Mhencampwriaeth y Byd 2007 roedd rasys ar yr 17 trac hyn.

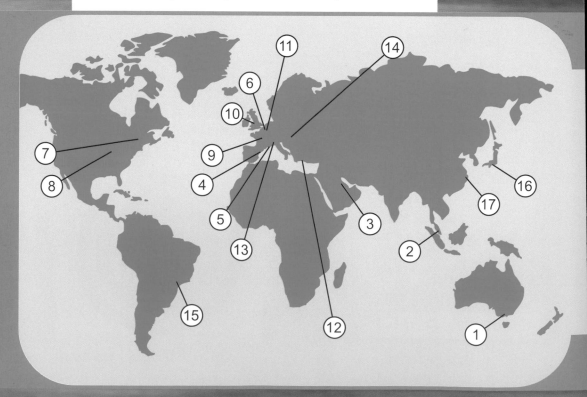

Mae car F1 yn cael ei ddylunio ar gyfrifiadur.

Mae'n cael ei brofi mewn **twnnel gwynt** ac ar draciau prawf.

Mae pob car newydd F1 yn gyfrinach – mae'n rhaid gwylio rhag ysbïwyr.

1. AWSTRALIA, Melbourne
2. MALAYSIA, Kuala Lumpur
3. BAHRAIN, Sakhir
4. SBAEN, Catalunya
5. MONACO, Monte Carlo
6. EWROP, Nurburgring
7. CANADA, Montreal
8. UNOL DALEITHIAU, Indianapolis
9. FFRAINC, Magny-Cours
10. PRYDAIN, Silverstone
11. GWLAD BELG, Spa Francorchamps
12. TWRCI, Istanbul
13. YR EIDAL, Monza
14. HWNGARI, Budapest
15. BRASIL, Sao Paulo
16. JAPAN, Suzuka
17. CHINA, Shanghai

Fangio (Rhan un)

Fangio oedd un o'r gyrwyr F1 gorau erioed. Dyma hanes ei fywyd.

Cafodd Juan Manuel Fangio ei eni yn yr Ariannin yn 1911.

Eidalwyr oedd ei rieni ac roedd ganddo bum brawd a chwaer.

Roedd y rhan fwyaf o yrwyr rasio yn dod o deuluoedd cyfoethog, ond roedd teulu Fangio yn dlawd iawn. Dechreuodd weithio mewn garej pan oedd yn 12. Dysgodd am beiriannau a sut i yrru.

Dechreuodd Fangio rasio pan oedd yn 18.

Yn 1940 rasiodd o Buenos Aires i Lima ac yn ôl. Roedd y ras yn filoedd o filltiroedd. Bu'n rasio am bythefnos.

Roedd yn anodd – ond enillodd Fangio.

Enillodd Fangio lawer mwy o rasys. Roedd yn Bencampwr yr Ariannin yn 1940 ac 1941. Ond pan ddechreuodd yr Ail Ryfel Byd roedd rhaid i Fangio roi'r gorau i rasio.

Parhad ar dudalen 20

Un penwythnos Grand Prix

Dydd Iau

Mae'r timau'n gosod eu pethau yn y *paddock*.

Dydd Gwener

Sesiwn ymarfer cyntaf

 **Ail sesiwn ymarfer**

Mae'r timau'n gwneud newidiadau i'r ceir er mwyn iddyn nhw fynd yn gyflymach.

Dydd Sadwrn

   Trydydd sesiwn ymarfer

   Pedwerydd sesiwn ymarfer

 Sesiwn ennill lle (*qualifiers*)

Mae pob gyrrwr yn cael ei amseru am un lap. Bydd y gyrrwr cyflymaf yn cychwyn y ras o'r **safle cyntaf** (*pole position*).

 Mae'r timau'n siarad â'r **cyfryngau**.

Dydd Sul

 Lap archwilio (*reconnaisance*)
Mae'r gyrwyr yn gadael y *pits*. Maen nhw'n gwneud un lap cyn dod i drefn ar y **grid**.

Lap leoli (*formation*)
Mae'r gyrwyr yn gwneud un lap o'r grid cyn aros i'r ras ddechrau.

Y ras!

Mae pum golau'n dod ymlaen, un ar ôl y llall.

Pan fydd pob un wedi ei ddiffodd dyna ddechrau'r ras!

Mae pob ras tua 194 milltir ac yn para tua 90 munud yr un.

Mae swyddogion y ras yn defnyddio baneri i rybuddio gyrwyr.

Baner	Rhybudd
	Perygl o'ch blaen – rhaid arafu a bod yn barod i stopio
	Popeth yn glir
	Rhaid stopio'r ras
	Rhaid gadael i'r car tu ôl fynd heibio
	Trac o'ch blaen yn llithrig
	Problem gyda'r car – ewch i'r *pit*
	Ewch i'r *pit* (rydych chi allan o'r ras)
	Ras wedi gorffen

Rasio rownd Spa

Mae Spa Francorchamps yng Ngwlad Belg.

Mae rhannau syth cyflym a chorneli anodd iawn i'r ras.

Y darn syth cyflymaf

Y cornel enwocaf yn F1!

3

Darn syth i lawr rhiw

11

2

12

1

Diwedd y ras cyn bo hir!

ALLWEDD

 Cychwyn / Gorffen

 Cyflymder gorau mewn **mya**

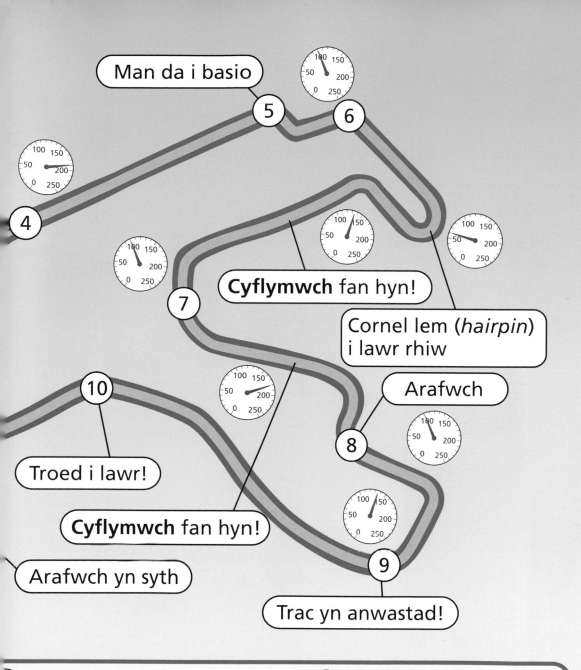

1. La Source
2. Darn syth cyntaf
3. Eau Rouge
4. Ail ddarn syth – Kemmell
5. Les Combes
6. Malmeady
7. Pouhon
8. Fagnes
9. Stavelot
10. Blanchimont
11. La Chicane
12. Darn syth y *pit*

Stopio yn y *pit*

Mae gan bob tîm ei garej ei hun sy'n cael ei alw'n *pit*.
Mae'r *pits* yn agos at y llinell Gychwyn/Orffen.
Mae ceir F1 yn dod i'r *pit* i gael tanwydd neu i drwsio teiars.
Bydd car yn aros yn y *pit* am tua saith eiliad.

Mae tri mecanig yn newid pob teiar gwael.

Mae'n rhaid jacio'r car i fyny i newid teiar.

Mae dyn lolipop yn dangos i'r gyrrwr ble i stopio a phryd mae'n ddiogel i adael.

Mae dau fecanig yn
llenwi'r car â thanwydd.

Y mecanig yma fydd yn
cychwyn y car eto os yw'r
peiriant yn diffodd.

Mae'r mecanig yma'n
gwylio rhag i'r car fynd
ar dân.

Bydd un mecanig yn glanhau
fisor y gyrrwr.

Y system bwyntiau

Mae'r wyth car cyntaf mewn Grand Prix yn ennill pwyntiau.

Maen nhw'n adio'r holl bwyntiau at ei gilydd ar ddiwedd y tymor.

Y gyrrwr gyda'r nifer fwyaf o bwyntiau sy'n ennill **Pencampwriaeth y Gyrwyr**.

Y tîm gyda'r nifer fwyaf o bwyntiau sy'n ennill **Pencampwriaeth y Gwneuthurwyr.**

Safle	Pwyntiau
1af	10
2il	8
3ydd	6
4ydd	5
5ed	4
6ed	3
7fed	2
8fed	1

Enillodd Lewis Hamilton ei GP cyntaf yng Nghanada yn 2007.

Enillodd 10 pwynt i dîm McLaren.

Enillodd Lewis Hamilton y Grand Prix Prydeinig yn Silverstone yn 2008.

Doedd dim digon o bwyntiau gan McLaren i ennill Pencampwriaeth y Gwneuthurwyr y flwyddyn honno. Ferrari ddaeth yn gyntaf gyda 172 pwynt.

Fangio (Rhan dau)

Dechreuodd Fangio rasio eto yn 1949. Roedd yn 37. Mae hyn yn weddol hen i fod yn yrrwr F1.

Gyrrodd Fangio i dîm Alfa Romeo ym Mhencampwriaeth y Byd. Daeth yn ail. Ond yn 1951 enillodd Bencampwriaeth y Byd!

Yn 1952, roedd Fangio'n cystadlu unwaith eto. Roedd rhaid iddo yrru drwy'r nos i gyrraedd Grand Prix Monza.

Cyrhaeddodd ar y funud olaf. Roedd rhaid iddo gychwyn o gefn y grid. Ond roedd e wedi blino a gwnaeth e gamgymeriad.
Trawodd ei gar yn erbyn clawdd a throi drosodd. Torrodd Fangio ei wddf.

Bu bron i Fangio farw ond wnaeth e ddim gadael i hynny ei stopio. Yn fuan iawn roedd e'n well ac yn ôl yn rasio F1.

Parhad ar dudalen 34

Ferrari

Enzo Ferrari o'r Eidal sefydlodd dîm Ferrari.

Hwn ydy'r tîm hynaf yn y Bencampwriaeth.

Tymor cyntaf y tîm oedd 1950 a'r car cyntaf oedd yr 125F1.

Y Ferrari 125F1

Enillodd Ferrari ei Grand Prix (GP) gyntaf yn Silverstone yn 1951.

Erbyn 1983 roedd Ferrari wedi ennill naw teitl Gyrwyr ac wyth teitl Gwneuthurwyr.

Y 312T

Nikki Lauda

Gyrrodd Nikki Lauda y 312T yn nhymor 1975.

Enillodd ei Bencampwriaeth Byd gyntaf.

Dyna oedd teitl cyntaf Ferrari ar ôl un deg un o flynyddoedd.

Y Ferrari 312T

Ffeithiau!	
Pwyntiau Pencampwriaeth	113
Safleoedd cyntaf (*pole*)	10
Buddugoliaethau GP	9

Ni wnaeth tîm Ferrari ennill teitl F1 rhwng 1983 ac 1999. Wedyn gwellodd pethau.

Yn 1996 symudodd Michael Schumacher at Ferrari.

Yn 1999 enillodd Ferrari deitl y **Gwneuthurwyr** gyda'r F339.

Yr F1-2000

Rubens Barrichello, aelod o'r un tîm â Schumacher, yn gyrru'r F1-2000.

Yr F1-2000 oedd y 47fed car F1 i Ferrari ei ddylunio. Enillodd Schumacher naw ras yn y car hwn yn ystod tymor 2000!

Enillodd Ferrari Bencampwriaeth y Gwneuthurwyr chwech gwaith yn olynol – o 1999 hyd 2004. Enillon nhw eto yn 2007 a 2008.

Enillodd Kimi Raïkkonen Bencampwriaeth y Gyrwyr yn 2007. Roedd e'n gyrru'r F2007.

Ffeithiau F2007!

Pwyntiau Pencampwriaeth	204
Safleoedd cyntaf (*pole*)	9
Buddugoliaethau GP	9

Ffeithiau F2008!

Pwyntiau Pencampwriaeth	172
Safleoedd cyntaf (*pole*)	8
Buddugoliaethau GP	8

Michael Schumacher

Cafodd Michael Schumacher ei eni yn yr Almaen yn 1969.

Dechreuodd rasio ceir gwyllt (*karts*) **pan oedd yn bedair ac mae'n dal i fwynhau'r gamp!**

Ras F1 gyntaf Schumacher oedd yn Spa yn 1991.

Cafodd yrru i dîm Jordan gan fod prif yrrwr y tîm yn y carchar. Roedd Schumacher yn **eilydd**.

Ymunodd Schumacher â Benetton yn 1992. Enillodd Bencampwriaeth y Byd yn 1994 ac 1995.

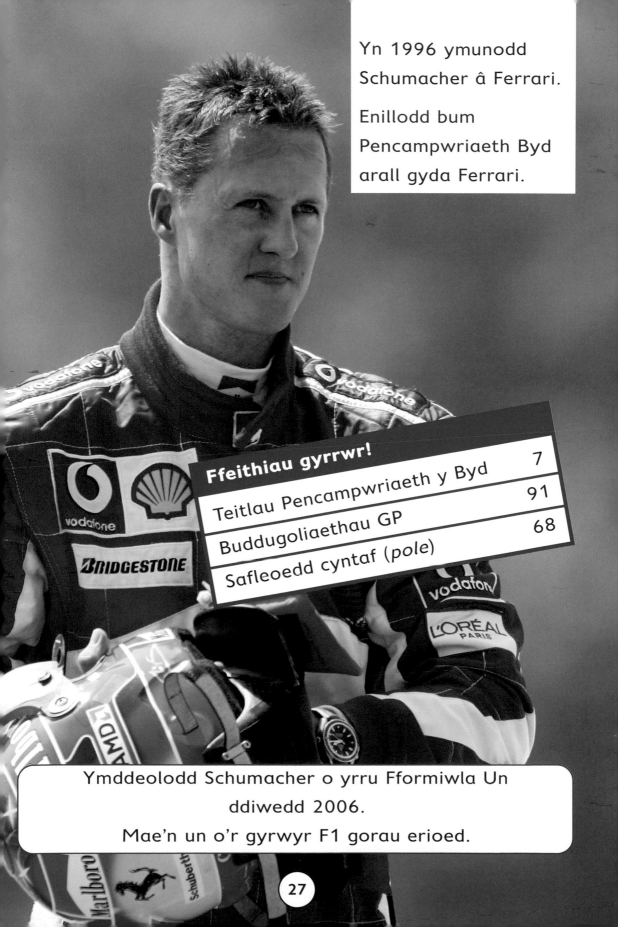

Yn 1996 ymunodd Schumacher â Ferrari.

Enillodd bum Pencampwriaeth Byd arall gyda Ferrari.

Ffeithiau gyrrwr!

Teitlau Pencampwriaeth y Byd	7
Buddugoliaethau GP	91
Safleoedd cyntaf (pole)	68

Ymddeolodd Schumacher o yrru Fformiwla Un ddiwedd 2006.

Mae'n un o'r gyrwyr F1 gorau erioed.

McLaren

Cafodd tîm McLaren ei sefydlu yn 1963 gan Bruce McLaren.

Roedd Bruce McLaren yn yrrwr F1. Yn 1968 enillodd y GP cyntaf i dîm McLaren.

Yn drist, bu farw ddwy flynedd wedyn mewn damwain car.

Enillodd tîm McLaren ei deitl Gyrwyr cyntaf a'i deitl Gwneuthurwyr cyntaf yn 1974.

Enillodd James Hunt ail deitl Gyrwyr y tîm yn 1976.

Curodd Nikki Lauda o un pwynt yn unig.

Roedd McLaren wedi ennill saith teitl Gyrwyr arall erbyn 1991.

Enillodd y tîm deitl y Gwneuthurwyr bum gwaith eto.

Yr MP4/4 a'r MP4/13

Rasiodd yr MP4/4 mewn 16 GP yn ystod 1988.

Enillodd 15 ohonyn nhw!

Gan McLaren oedd y ceir mwyaf pwerus a'r gyrwyr gorau – Ayrton Senna ac Alain Prost.

Ffeithiau MP4/4!	
Pwyntiau Pencampwriaeth	199
Safleoedd cyntaf (*pole*)	15
Buddugoliaethau GP	15

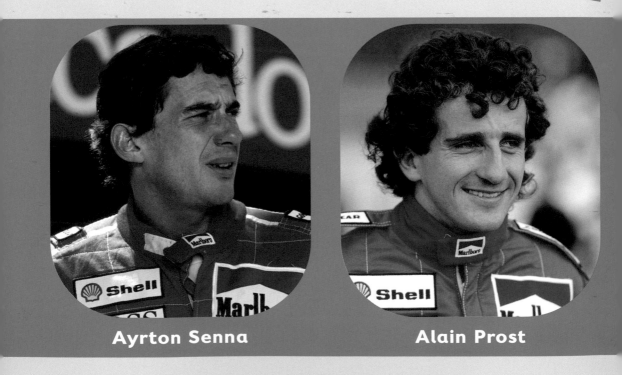

Ayrton Senna   Alain Prost

Symudodd Alain Prost at Williams yn 1992.

Symudodd Ayrton Senna at Williams yn 1994. Y flwyddyn honno daeth ei gar oddi ar y trac yn Imola. Tarodd y car yn erbyn wal a bu farw Senna.

Ni wnaeth McLaren ennill teitl yn ystod y pum mlynedd nesaf.

Yna, yn 1998, cafodd McLaren flwyddyn wych arall.

Roedd Mika Hakkinen yn gyrru'r MP4/13.

Y McLaren MP4/13

Ffeithiau MP4/13!	
Pwyntiau Pencampwriaeth	156
Safleoedd cyntaf (pole)	12
Buddugoliaethau GP	9

Enillodd Hakkinen deitl y Gyrwyr ac
enillodd McLaren deitl y Gwneuthurwyr.

Lewis Hamilton

Cafodd Lewis Hamilton ei eni yn Lloegr yn 1985.
Dechreuodd **rasio ceir gwyllt** pan oedd yn wyth.
Ddwy flynedd wedyn enillodd Hamilton ei
Bencampwriaeth Ceir Gwyllt gyntaf.

Pan oedd yn 10, dywedodd Hamilton wrth bennaeth
McLaren ei fod eisiau gyrru i'r tîm rhyw ddydd.
Yn 1998 aeth ar raglen gyrwyr ifanc McLaren.
Gyrrodd yn ei ras Fformiwla 1 gyntaf yn 2007.

Ffeithiau!

Teitlau Pencampwriaeth y Byd	1
Buddugoliaethau GP	9
Safleoedd cyntaf (*pole*)	13

Yn 2008 Lewis Hamilton oedd Pencampwr y Byd F1 ieuengaf erioed – yn ddim ond 23 oed.

Roedd Hamilton yn gyrru'r McLaren MP4-23 – roedd ei freuddwyd wedi dod yn wir!

Fangio (Rhan tri)

Enillodd Fangio bedair Pencampwriaeth y Byd arall rhwng 1954 ac 1957. Gyrrodd i bedwar tîm gwahanol.

Doedd Enzo Ferrari ddim yn hoffi bod Fangio'n newid timau.

Dim ond eisiau gyrru'r car gorau mae Fangio!

Ond dywedodd Stirling Moss nad oedd ots pa gar roedd Fangio'n ei yrru.

Mae Fangio'n ennill gan mai fe ydy'r gyrrwr gorau!

Roedd Fangio'n gryf iawn. Roedd hynny'n bwysig achos bod y ceir yn drwm ac yn anodd eu llywio. Gwaith caled oedd gyrru car o gwmpas y trac.

Ras enwocaf Fangio oedd yn 1957 yn Nurburgring. Roedd e 28 eiliad ar y blaen ond doedd tîm Maserati ddim wedi rhoi llawer o danwydd yn y car. Roedd hynny'n gwneud y car yn ysgafnach. Ond roedd rhaid iddo stopio i gael rhagor o danwydd, gan golli llawer o amser.

Parhad ar y dudalen nesaf

O'r diwedd roedd Fangio'n ôl ar y trac. Dim ond 12 lap i fynd! Gyrrodd Fangio fel cath i gythraul. Aeth heibio i'r gyrrwr Ferrari ac i'r safle cyntaf eto. Enillodd o 3.6 eiliad!

Stopiodd Fangio yrru yn 1958, ond cafodd antur arall yn fuan!

Cafodd ei herwgipio gan rebeliaid o Giwba yn 1958.

Cafodd ei ryddhau ar ôl diwrnod neu ddau a dywedodd fod y rebeliaid wedi gofalu amdano'n dda!

Bu farw Fangio yn 1995. Roedd yn 84. Cafodd trac rasio ei enwi ar ei ôl yn y dref lle cafodd ei eni, Balcarce. Mae Amgueddfa Fangio yn Balcarce hefyd. Yn 2005, enwodd y cwmni ceir Pagani y Zonda 2005 C12F ar ôl Fangio.

Fydd Fangio byth yn cael ei anghofio!

Renault

Tymor cyntaf Renault yn rasio F1 oedd 1977.

Rasion nhw'r car RS01.

Yr RS01

Yr RS01 oedd y car F1 cyntaf gyda **pheiriant tyrbo** (*turbocharged*).

Roedd yn gar pwerus iawn, ond roedd llawer o broblemau gan y peiriant.

Cafodd ei alw'n 'Debot Melyn', gan ei fod yn felyn ac yn chwythu mwg oedd yn edrych fel stêm!

Ffeithiau!	
Pwyntiau Pencampwriaeth	3
Safleoedd cyntaf (*pole*)	1
Buddugoliaethau GP	0

Daliodd Renault ati i weithio ar yr RS01. Gwellodd y car dros y ddau dymor nesaf.

Wnaeth yr RS01 erioed ennill GP ond cafodd effaith fawr ar F1. Cyn bo hir, roedd gan bob car F1 beiriant tyrbo.

Tynnodd Renault allan o rasio F1 yn yr 1980au.

Ond daeth yn ôl yn 2000.

Daeth Renault yn drydydd ym Mhencampwriaeth y Gwneuthurwyr yn 2004.

Yr R25

tagellau siarc

Newidiodd yr FIA y rheolau ar gyfer ceir yn 2005.

Cymerodd Renault risg – wrth *beidio* â chreu car newydd. Yn lle hynny penderfynon nhw addasu'r R24 i wneud yr R25.

Roedd yr R25 yn fwy cadarn ond yn ysgafnach na'r R24.

Enillodd Renault Bencampwriaeth y Gwneuthurwyr.
Enillodd Fernando Alonso Bencampwriaeth y Gyrwyr.

Ffeithiau R25!

Pwyntiau Pencampwriaeth	191
Safleoedd cyntaf (*pole*)	7
Buddugoliaethau GP	8

Yn 2006 enillodd Renault ac Alonso y ddwy bencampwriaeth eto. Yr R26 oedd y car!

Fernando Alonso

Cafodd Fernando Alonso ei eni yn Sbaen yn 1981.

Pan oedd Alonso yn dair oed cafodd **gar gwyllt** (*kart*) oedd yn edrych yn union fel car F1 bach iawn!

Pan oedd yn 18 enillodd bencampwriaeth iau rasio ceir gwyllt y byd.

Roedd wastad yn benderfynol o ennill.

"Un fel yna ydw i," meddai.

Yn 2003 ymunodd Alonso â Renault. Enillodd Bencampwriaeth y Byd yn 2005 a 2006. Gyrrodd Alonso i McLaren yn 2007 – Lewis Hamilton oedd gyrrwr arall McLaren! Aeth yn ôl at Renault yn 2008.

Ffeithiau!

Teitlau Pencampwriaeth y Byd	2
Buddugoliaethau GP	17
Safleoedd cyntaf (*pole*)	9

Cwis

1 Sawl tîm oedd yn cystadlu ym Mhencampwriaeth y Byd 2008?

2 Sawl sesiwn ymarfer sydd mewn penwythnos Grand Prix?

3 Beth ydy ystyr baner las?

4 Enwa'r gornel fwyaf enwog yn F1.

5 Beth mae dyn lolipop yn ei wneud yn ystod *pit stop*?

6 Sawl pwynt fydd car sy'n chweched yn ei gael mewn ras GP?

7 Beth ydy enw'r tîm hynaf yn y Bencampwriaeth?

8 Sawl gwaith enillodd Schumacher Bencampwriaeth y Gyrwyr?

9 Beth oedd yr enw arall ar yr RS01?

10 Pwy gurodd record F1 Alonso yn 2008?

Geirfa

cyflymu	(*accelerate*) Mynd yn fwy cyflym.
cyfryngau	Papurau newydd, cylchgronau, radio a theledu.
eilydd	person sy'n cymryd lle rhywun arall.
FIA	Fédération Internationale de l'Automobile – Ffederasiwn Rhyngwladol Ceir.
fisor	Sgrin blastig i amddiffyn yr wyneb.
grid	Safle'r ceir ar ddechrau ras.
gwrthdan	(*fireproof*) Deunydd wnaiff ddim mynd ar dân.
lap archwlio	(*reconnaisance lap*) Cyfle i yrrwr ymarfer ar y trac er mwyn dod i'w adnabod.
mya	(*m.p.h.*) Cyflymder mewn milltiroedd yr awr.
noddi	Cwmni neu berson yn rhoi arian at rywbeth.
paddock	Man lle mae'r timau F1 yn aros yn ystod ras Grand Prix.
peiriant tyrbo	(*turbocharged*) Ffordd o wneud injan yn fwy pwerus.
Pencampwriaeth y Gwneuthurwyr	(*Constructors' Championship*) Cystadleuaeth i ddewis tîm rasio gorau'r tymor.
Pencampwriaeth y Gyrwyr	(*Drivers' Championship*) Cystadleuaeth i ddewis gyrrwr F1 gorau'r tymor.
rasio ceir gwyllt	Rasio gyda go-karts; certiau bach gyd pheiriant.
safle cyntaf	(*pole position*) Y safle gorau ar y grid.
twnnel gwynt	Twnnel sydd â gwynt yn chwythu ar ei hyd. Mae hyn yn dangos pa mor gyflym mae car yn gallu mynd ar drac rasio.

Adnoddau a gwybodaeth

Llyfrau

Car, (Cyfres Llygad-dyst), Richard Sutton, addas. W.J. Jones, Gwasg Prifysgol Cymru, (0-70831-213-6)

Ar Wib!, Philip Chapman, addas. Rhodri Prys Jones, Gomer (0-86383-363-2)

The Complete Book of Formula One: All Cars and Drivers since 1950, Simon Arron a Mark Hughes, Motorbooks International (0-76031-688-0)

The Official Formula 1 Season Review, J H Haynes & Co Ltd, (llyfr newydd pob blwyddyn) (978-1-84425-721-8)

60 Years of the Formula One Championship, Bruce Jones, Carlton Books (978-1-84732-297-5)

Cylchgronau

Cip; Bore Da; Iaw!, Cylchgronau'r Urdd, Ffordd Llanbadarn, Aberystwyth SY23 1EN

F1 Racing, Haymarket Magazines
Autosport Magazine, Haymarket Magazines

Gwefannau

www.formula1.com
www.f1-racing.org
www.itv-f1.com
news.bbc.co.uk/sport2/hi/motorsport/formula_one
www.skysports.com/formula1

DVD

Formula One Season Review 2009

50 Years of Formula One On-Board (2004) (Rhif cat. 8231843)

Secret Life of Formula One (2003) (Rhif cat. LACE250)

Atebion

1   11

2   4

3   Gadael i'r car tu ôl i chi fynd heibio

4   Eau Rouge

5   Mae'n dangos i'r gyrrwr ble i stopio a phryd
     mae'n ddiogel i adael y *pit*.

6   3

7   Ferrari

8   7

9   Y Tebot Melyn

10   Lewis Hamilton

Mynegai